D1209539

CONCORDIA UNIVERSITY LIBRARIES 4.95
Curric NC 670 M33t 1987
SEP 01 1989

HENRIETTE MAJOR
MICHÈLE DEVLIN

EH
ÉDITIONS HÉRITAGE
MONTRÉAL

Conception graphique : Michèle Devlin

Copyright © 1987 Les Éditions Héritage Inc.
Tous droits réservés

Dépôts légaux : 4e trimestre 1987
Bibliothèque nationale du Québec
Bibliothèque nationale du Canada

ISBN : 2-7625-4775-X Imprimé au Canada

LES ÉDITIONS HÉRITAGE INC.
300, Arran, Saint-Lambert, Québec J4R 1K5
(514) 875-0327

Les blagues et les devinettes, c'est amusant. Cet album te permettra d'en apprendre et même d'en inventer.

En observant bien chacune des pages suivantes, tu trouveras différents types de blagues et de devinettes. Au bas de chaque page, tu pourras noter et illustrer des blagues ou des devinettes que tu connais déjà ou bien en créer de nouvelles sur le modèle de celles qu'on te propose.

Henriette Major

ESSAIE DE TROUVER LES RÉPONSES EN OBSERVANT LES DESSINS. SI TU NE TROUVES PAS, VA VOIR À LA PAGE 47.

Qui suis-je ? 4
Les objets et leur caractère 6
Si les bêtes pouvaient parler 8
Salade de fruits 10
Si les objets pouvaient parler 12
Les ressemblances 14
Les différences 16
Le comble 18
Fou, fou, fou ! 20
Devinettes monstrueuses 22
Au pied de la lettre 24
Charades 24
Rébus 28
Les consonances 30
Devinettes musicales 31
Devinettes à rimettes 32
Fausses pistes 34
Les devinettes alphabétiques 36
Un peu de logique 38
Les mots à double sens 40
Dessins-devinettes 41
Croisements 42
Devinettes de bêtes 44
Devinettes d'éléphants 46
Réponses 47

QUI SUIS-JE ?

1. Je suis un porte-plume sur un porte-feuille.
Qui suis-je ?

2. J'ai des dents mais je ne mords pas.
Qui suis-je ?

3 *Je pleure quand on me tourne la tête.*
Qui suis-je ?

LES OBJETS ET LEUR CARACTÈRE

1. Qu'est-ce qui a toujours l'oeil ouvert mais qui ne voit jamais rien ?

2. Qu'est-ce qui fait voir ce qu'il ne voit pas ?

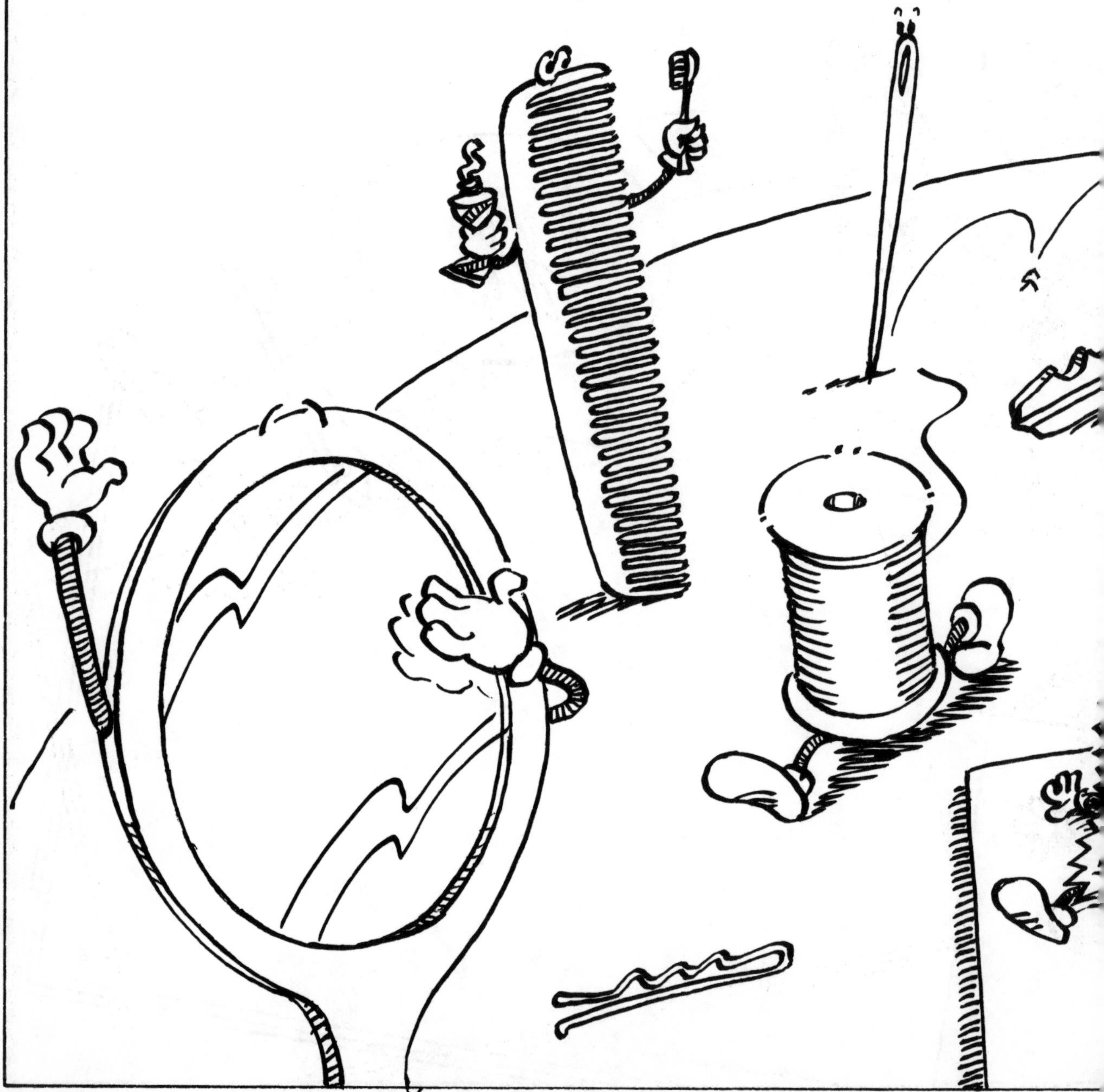

3 *Qu'est-ce qui entre toujours en premier dans une maison ?*

4 *Qu'est-ce qui a beaucoup de dents et le ventre collant ?*

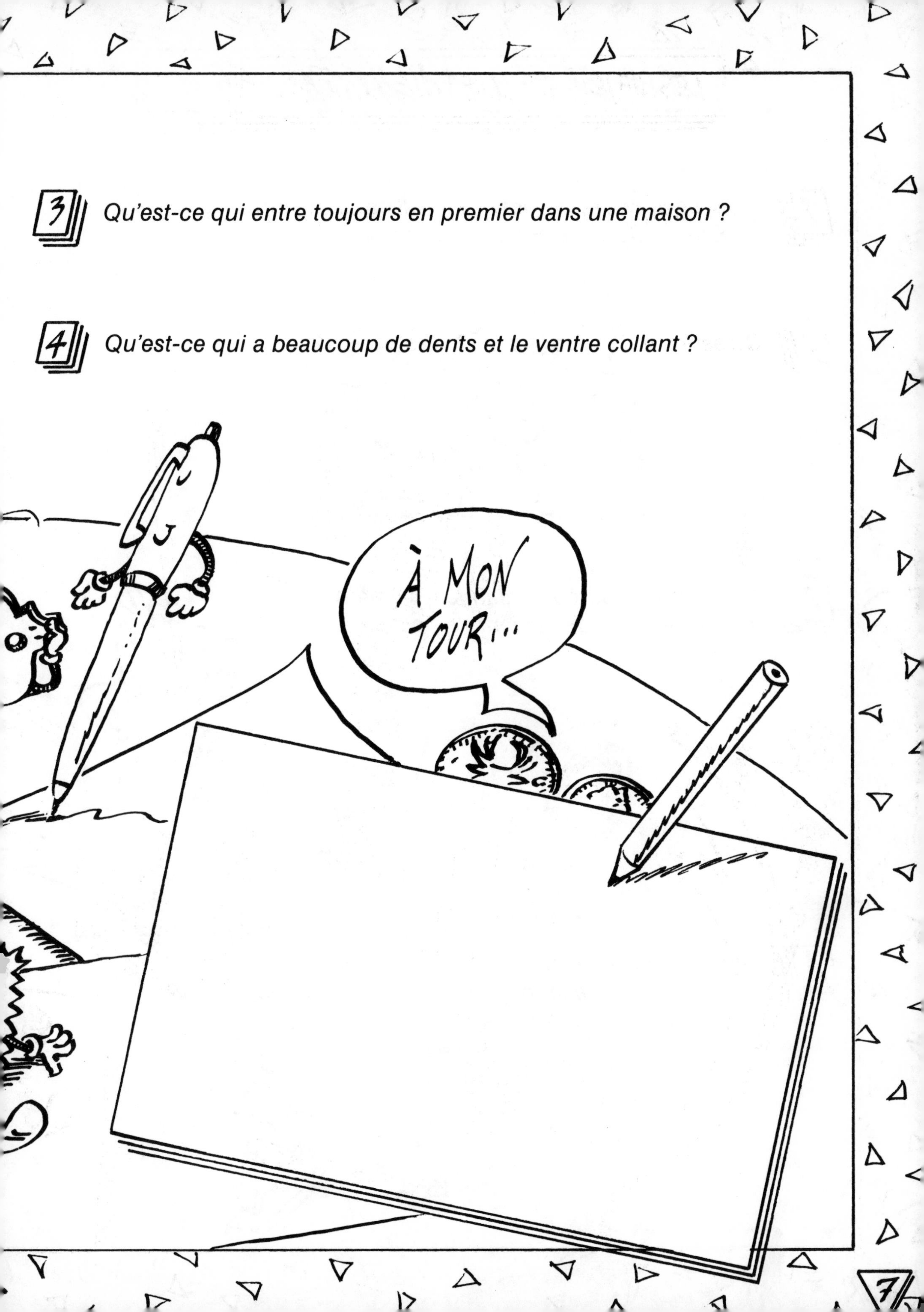

SI LES BÊTES POUVAIENT PARLER...

1

— *Espèce de sac à puces ! dit l'alligator au chien.*
— *Espèce de sac à main ! rétorque le chien.*

2

Le bébé kangourou demande à sa mère :
— *Puis-je avoir de l'argent de poche ?*

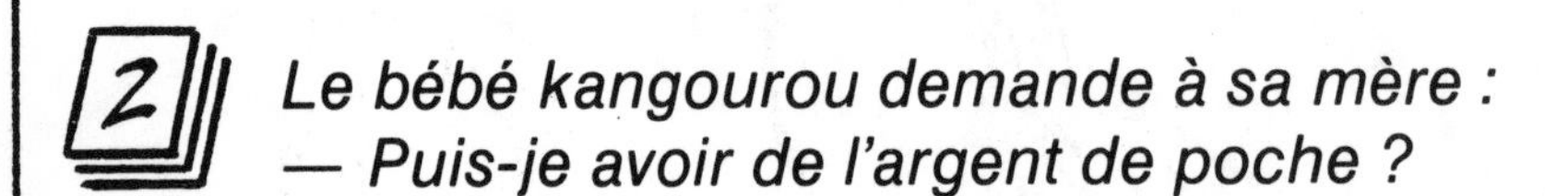

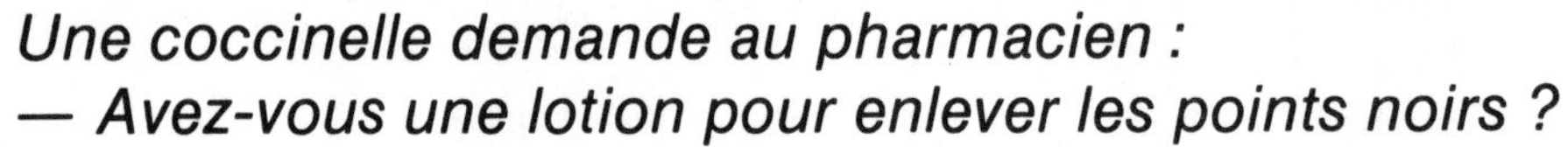

3

Une coccinelle demande au pharmacien :
— *Avez-vous une lotion pour enlever les points noirs ?*

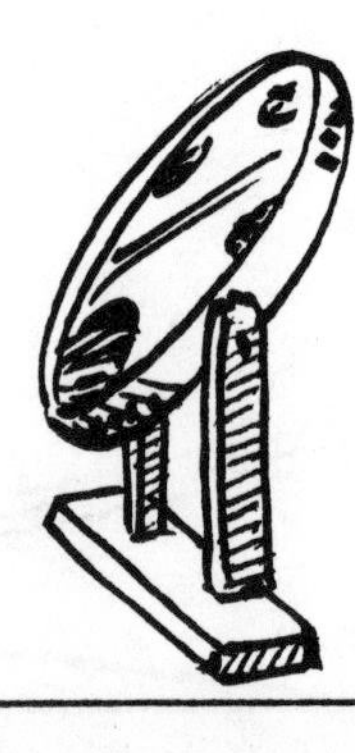

4
Un chien en rencontre un autre et lui dit :
— Il y a un nouveau réverbère au coin de la rue.
Son copain chien répond :
— Il faut arroser ça !
À MON TOUR...
9

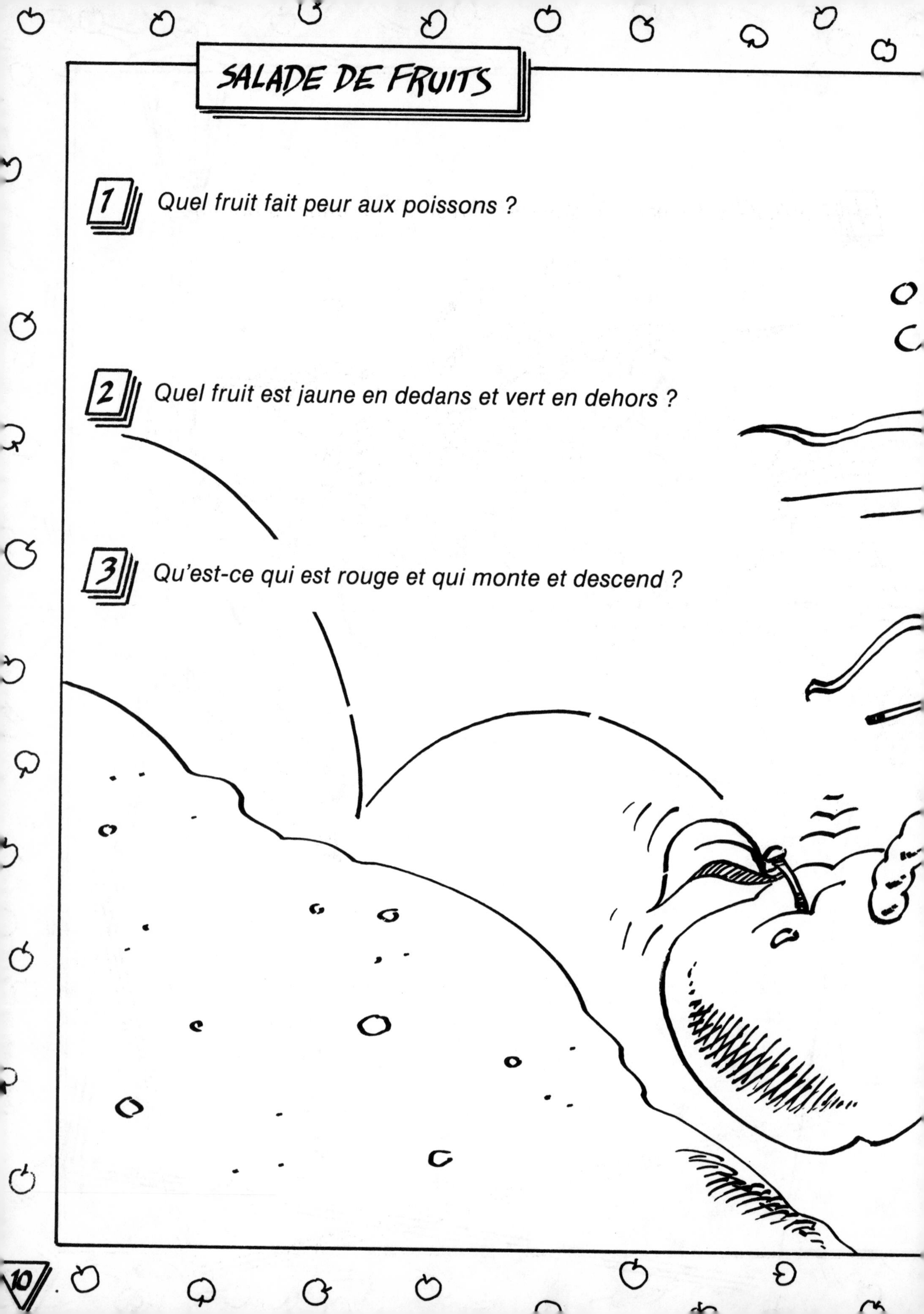
SALADE DE FRUITS
1
Quel fruit fait peur aux poissons ?
2
Quel fruit est jaune en dedans et vert en dehors ?
3
Qu'est-ce qui est rouge et qui monte et descend ?

4 Qu'est-ce qui est pire que de trouver un ver dans sa pomme ?

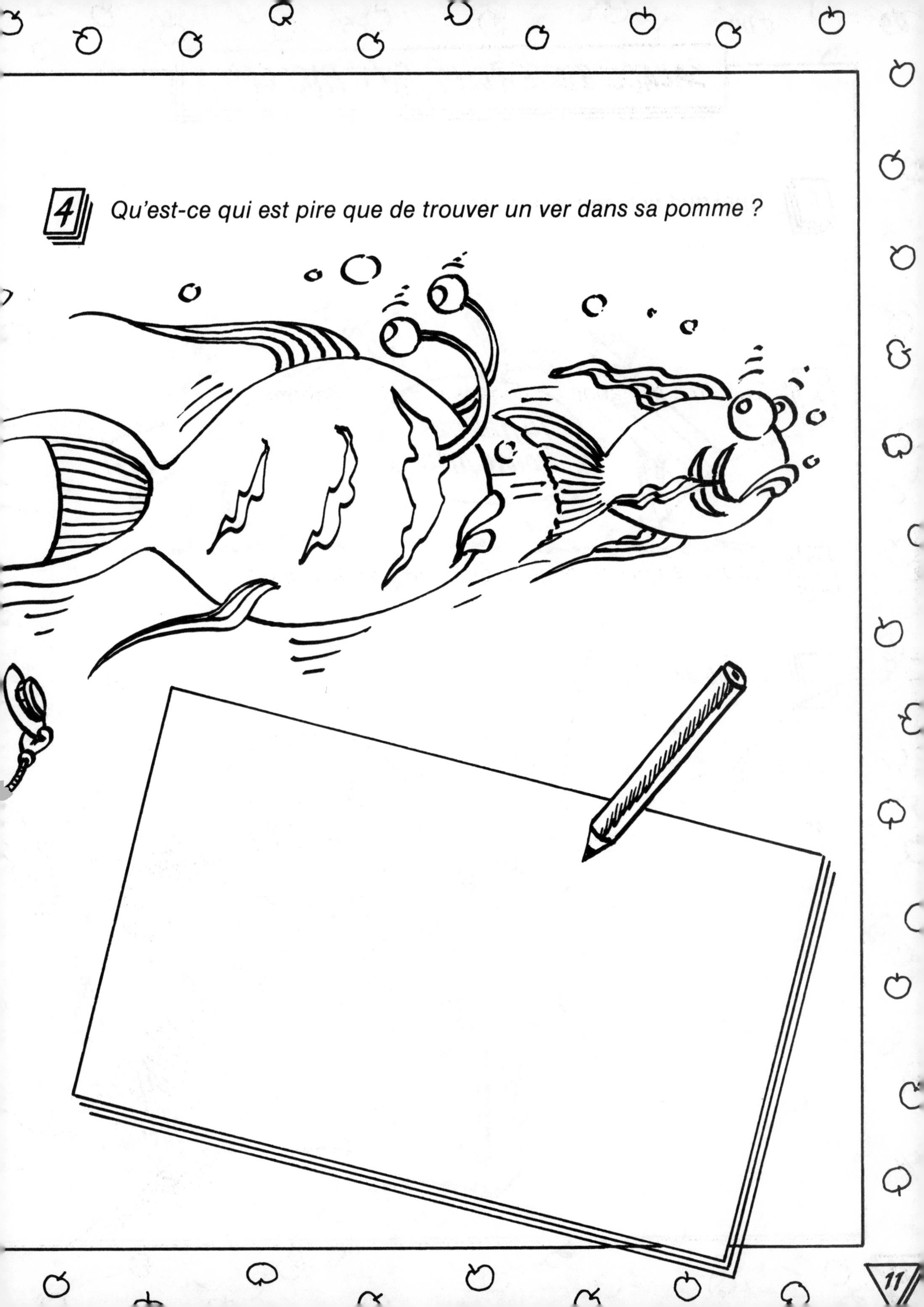

SI LES OBJETS POUVAIENT PARLER...

1 *Un crayon dit à un autre crayon :*

2 *La clé dit à l'autre clé :*

3 *Un fer à repasser dit à une chemise :*

LES RESSEMBLANCES

1 Quelle ressemblance y a-t-il entre ton manteau et quelqu'un qui a la rougeole ?

2 Quelle ressemblance y a-t-il entre un roi et un livre ?

3 Quelle ressemblance y a-t-il entre un arbre et un cahier ?

Quelle ressemblance y a-t-il

LES DIFFÉRENCES
1
Quelle différence y a-t-il entre un cigare et un avion ?
2
Quelle différence y a-t-il entre une horloge et un général ?
12
6
3
Quelle différence y a-t-il entre Halifax et une truie ?
BIENVENUE À
HALIFAX

4
Quelle différence y a-t-il entre un cheval et une boîte aux lettres ?

LE COMBLE

1 Quel est le comble du zèle pour un policier ?

2 Quel est le comble de l'habileté pour un barbier ?

3 Quel est le comble de la bravoure pour un soldat ?

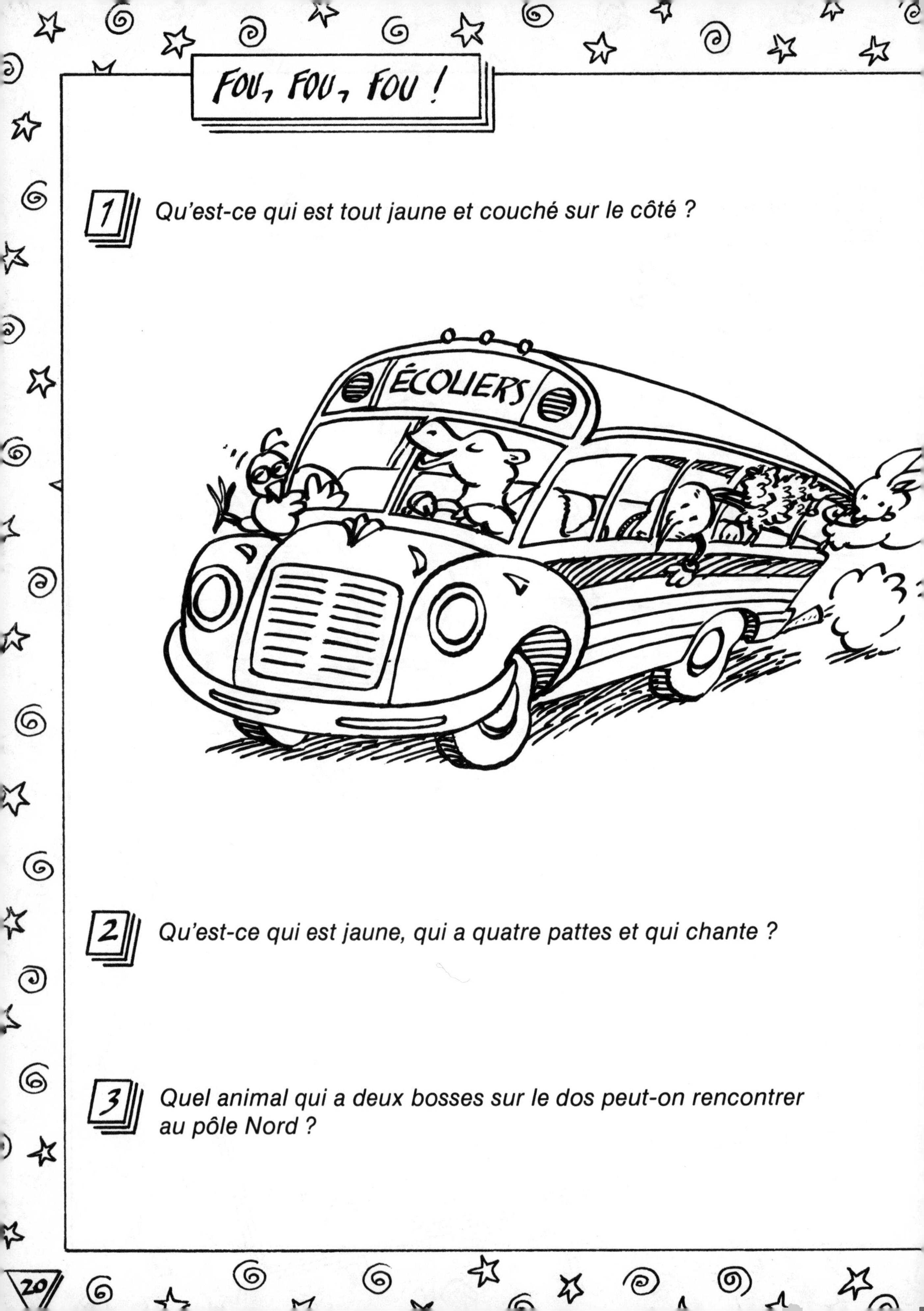

FOU, FOU, FOU !

1 Qu'est-ce qui est tout jaune et couché sur le côté ?

2 Qu'est-ce qui est jaune, qui a quatre pattes et qui chante ?

3 Quel animal qui a deux bosses sur le dos peut-on rencontrer au pôle Nord ?

4
Quelle est la meilleure façon d'attraper un lapin ?
À MON TOUR...

DEVINETTES MONSTRUEUSES

1. Comment s'y prend un monstre pour compter jusqu'à 19 ?

2. Qu'est-ce qu'on dit quand on rencontre un monstre à deux têtes ?

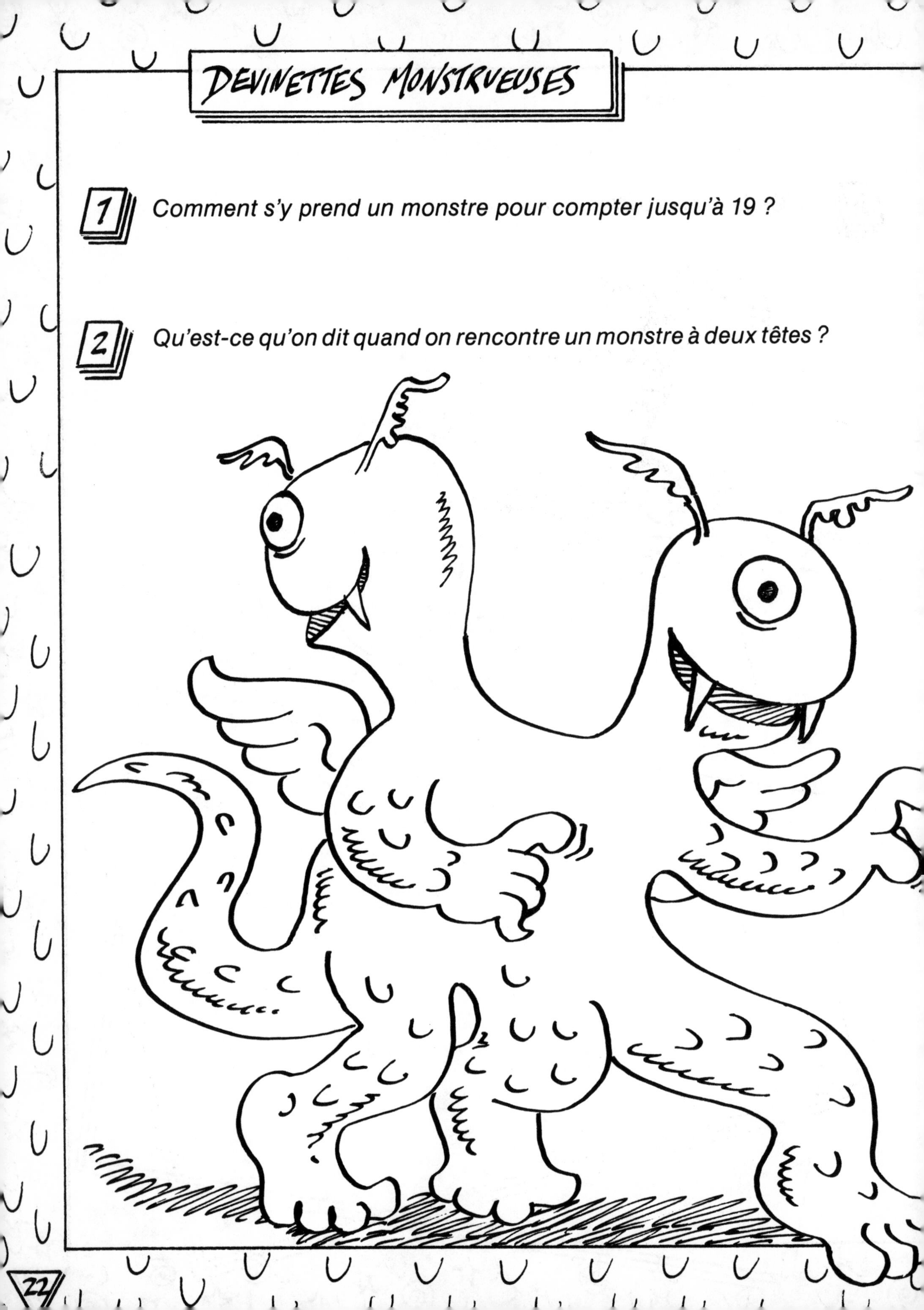

3
Qu'est-ce que tu dois faire si tu rencontres un monstre tout vert ?

AU PIED DE LA LETTRE

Certaines expressions évoquent des images amusantes. Essaie de trouver les expressions courantes exprimées par ces dessins :

7
CRAC!
8
HÉ!
À MON TOUR...

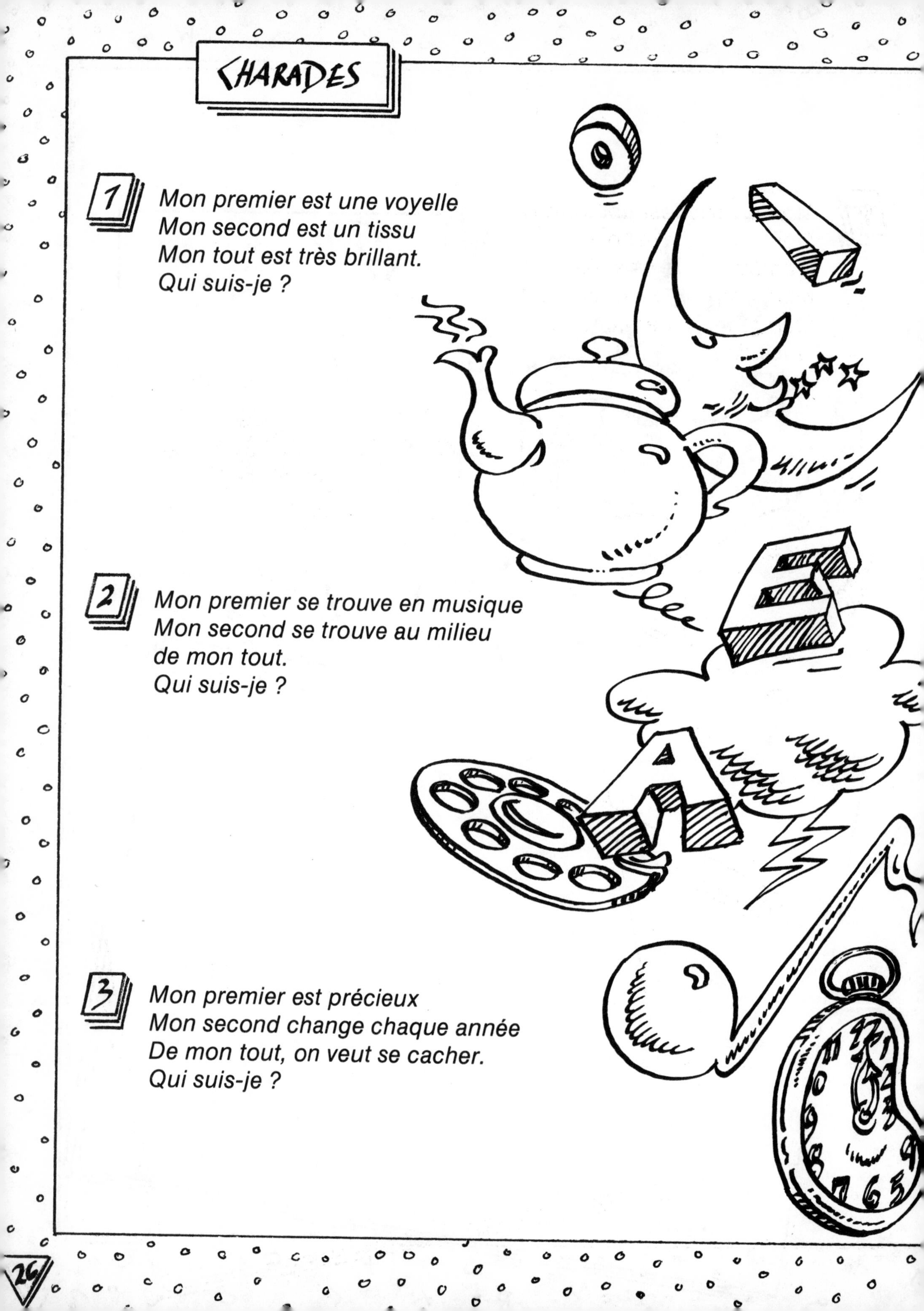

CHARADES

1

Mon premier est une voyelle
Mon second est un tissu
Mon tout est très brillant.
Qui suis-je ?

2

Mon premier se trouve en musique
Mon second se trouve au milieu
de mon tout.
Qui suis-je ?

3

Mon premier est précieux
Mon second change chaque année
De mon tout, on veut se cacher.
Qui suis-je ?

4

Mon premier est une boisson
Mon second n’est pas beau
Mon troisième n’est pas vrai
Mon quatrième est une négation
Mon tout me permet de parler à distance.
Qui suis-je ?

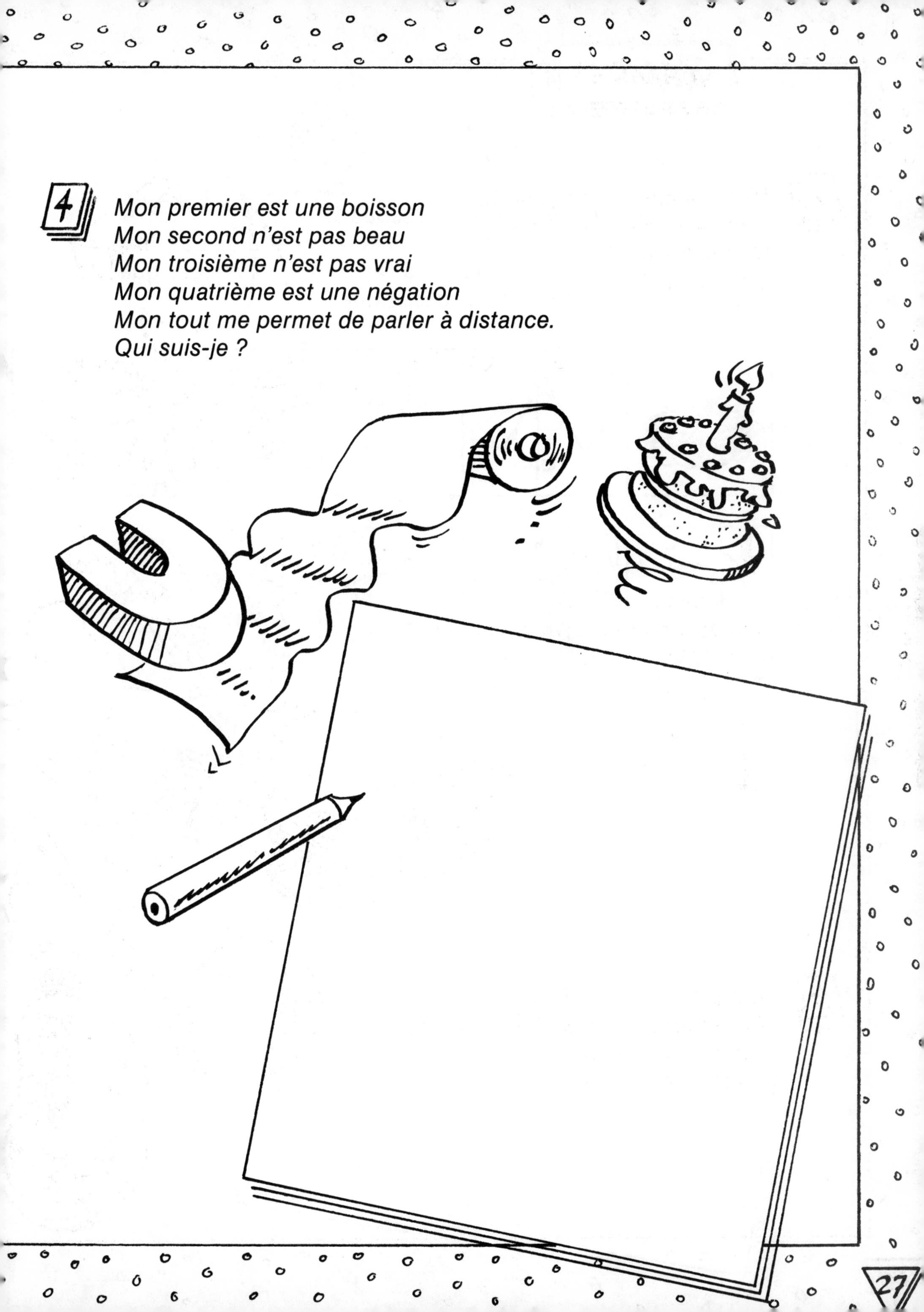

RÉBUS

Un rébus, c'est une devinette en images. Chaque image évoque un son. Exemples : G = j'ai, sou + riz = souris.

Peux-tu résoudre le rébus ci-dessous ?

Ensuite, tu pourras inventer d'autres rébus à l'aide des images proposées à la page suivante, ou à l'aide d'autres images que tu dessineras toi-même dans les cases vides.

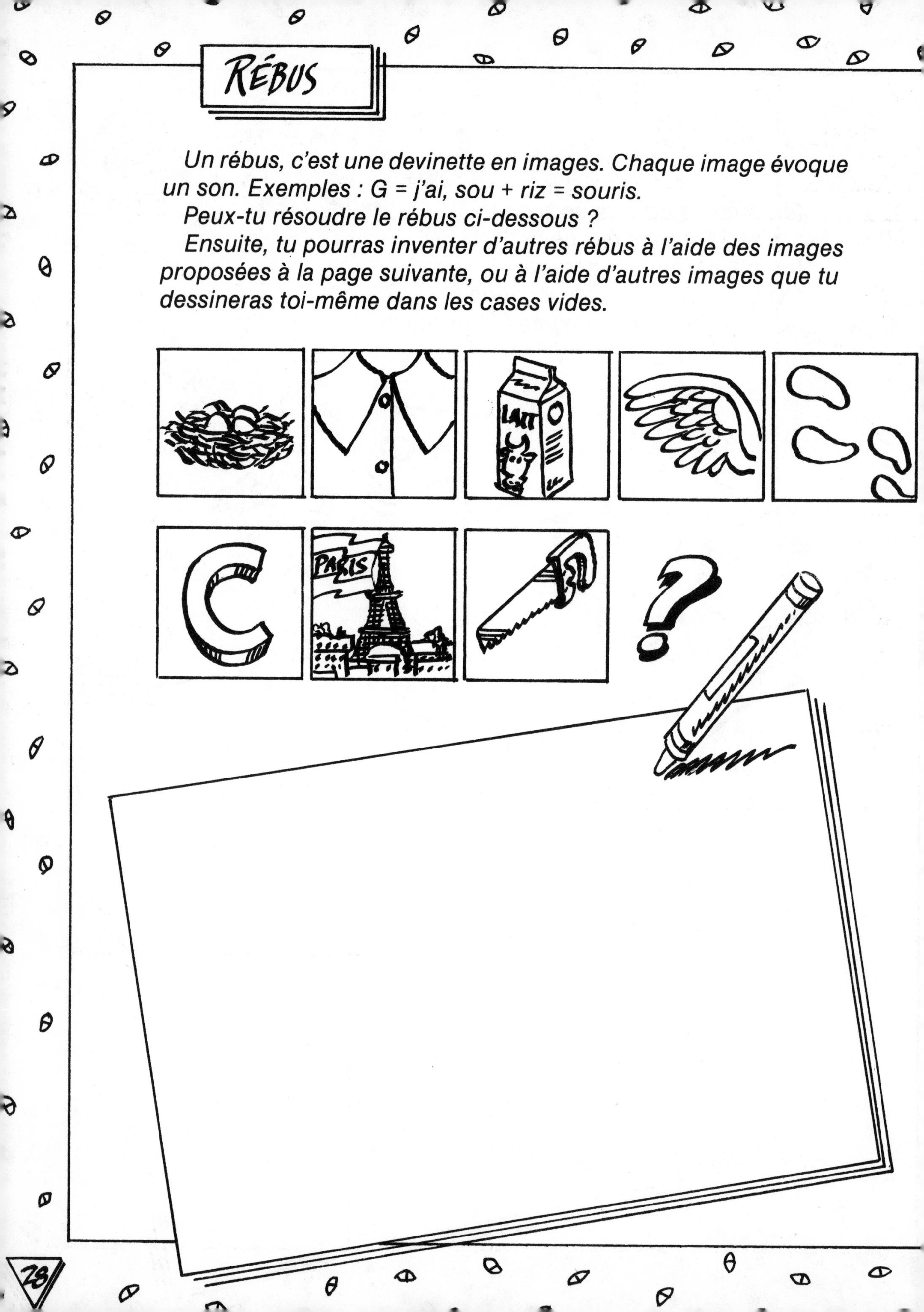

ÎLE
DÉ
NID
SOU
CHAT
RIZ
RAT
LAIT
LAIT
NEZ
SCIE
DENT
PAIN
LIT
QUEUE
PAS
THÉ
ÂNE
AILE
EAU
OIE
POT
CILS
COU
VIN
NOEUD
SAINT
FÉE
OS
PLUIE
JEU

LES CONSONANCES

Certains mots se ressemblent beaucoup quand on les entend, beaucoup moins quand on les lit.

1 *Quelle est la couleur d'un parapluie quand il pleut ?*

2 *Quelles sont les fleurs qui font avancer les bateaux ?*

3 *Comment fait-on aboyer un chat ?*

DEVINETTES MUSICALES

1 Quel nom un musicien devrait-il donner à sa maison ?

2 En n'utilisant que des notes de musique, un publicitaire a trouvé un slogan pour une cire à plancher. Quel est ce slogan ?

3 Quelle est la clé qu'on ne met jamais à la serrure ?

DEVINETTES À RIMETTES

1 Qu'est-ce qui est tout rond
et qui n'a ni queue, ni fond ?

2 J'ai des yeux, mais pas de paupières.
J'ai une queue mais pas de crinière.
Qui suis-je ?

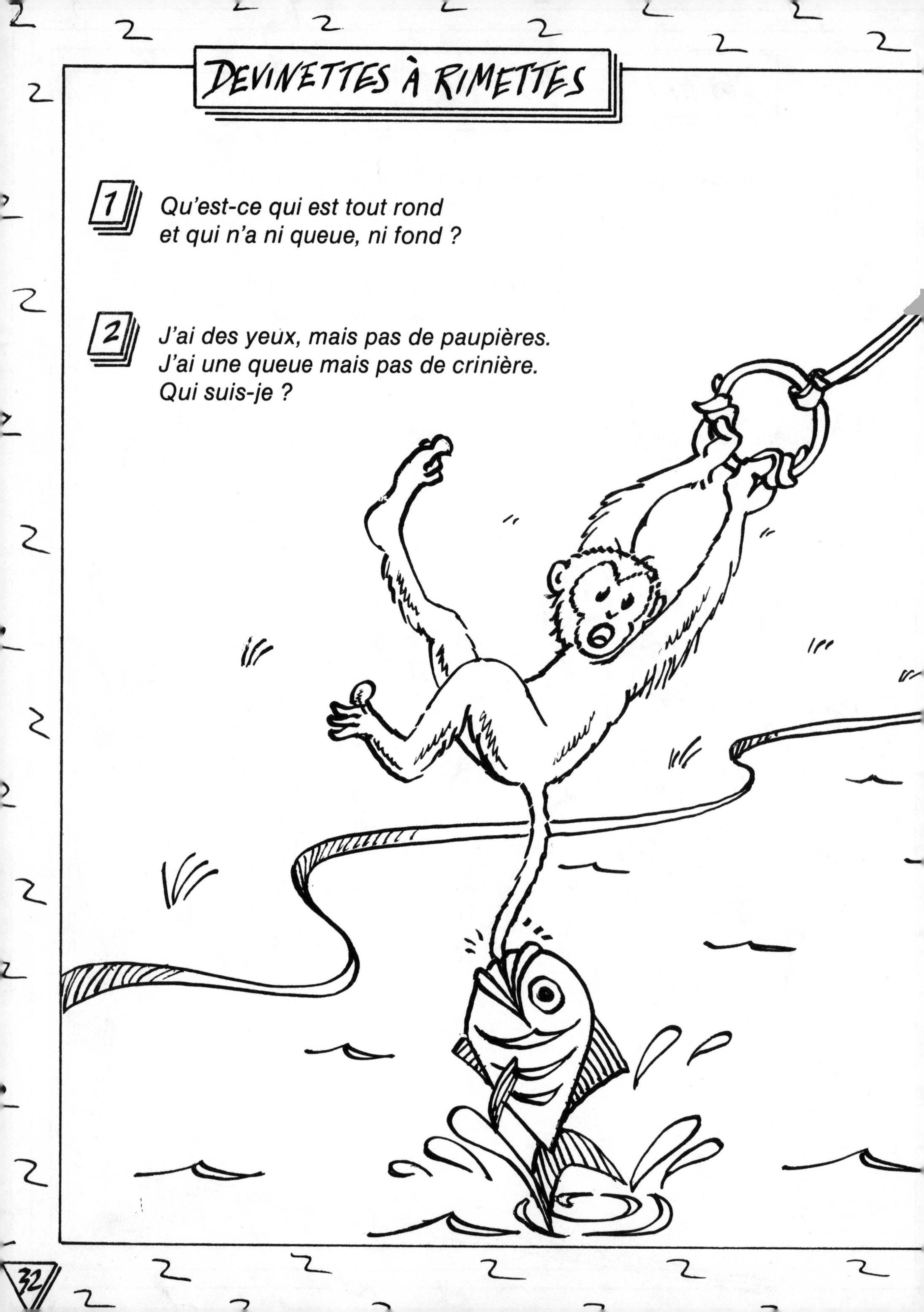

3
Je voyage jour et nuit
sans jamais quitter mon lit.
Qui suis-je ?
À MON TOUR...

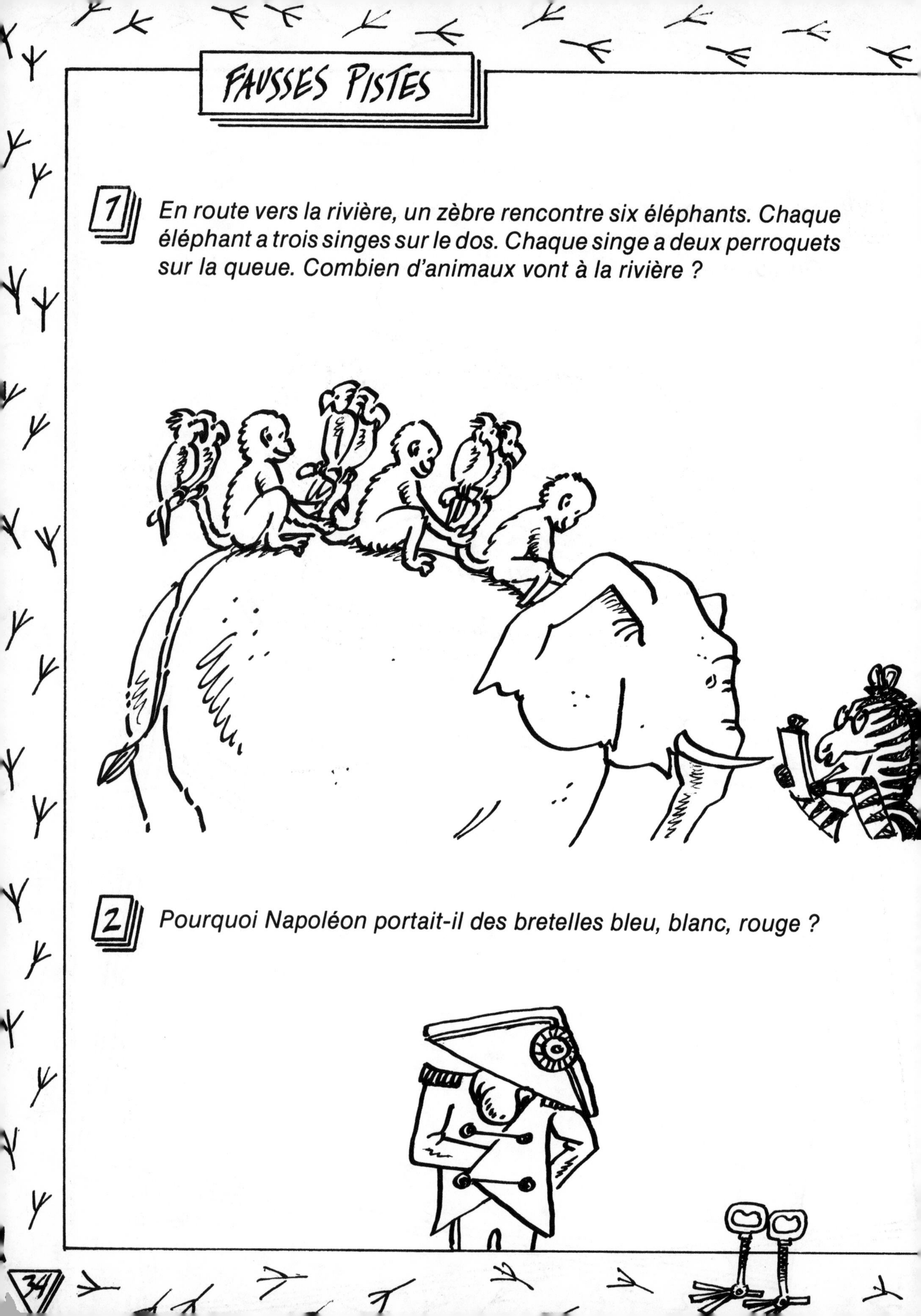

FAUSSES PISTES

1 *En route vers la rivière, un zèbre rencontre six éléphants. Chaque éléphant a trois singes sur le dos. Chaque singe a deux perroquets sur la queue. Combien d'animaux vont à la rivière ?*

2 *Pourquoi Napoléon portait-il des bretelles bleu, blanc, rouge ?*

3
Hippopotame : écris cela en quatre lettres.

LES DEVINETTES ALPHABÉTIQUES

Qu'est-ce qu'on retrouve au milieu de chaque année ?

À quel endroit le samedi vient-il avant le vendredi ?

3 Je commence la nuit et je finis le matin. Qui suis-je ?

4 Comment s'asseoir dans l'eau sans se mouiller ?

UN PEU DE LOGIQUE

1 Qu'est-ce qu'on garde même quand on le donne ?

2 Pourquoi les moutons blancs mangent-ils plus que les moutons noirs ?

3 *Cinq moineaux sont perchés sur une branche. Un chasseur tire un coup de fusil et en tue un. Combien en reste-t-il sur la branche ?*

LES MOTS À DOUBLE SENS

1. Quel est l'éclair qu'on ne voit pas quand tombe le tonnerre ?

2. Quelle est la plante la plus utile aux humains ?

3. Qu'est-ce qu'il ne faut pas faire devant un poisson-scie ?

DESSINS - DEVINETTES
1
Il y a un garçon dans cet arbre. Comment s'appelle-t-il ?
2
Qui suis-je ?
3
Qu'est-ce que c'est ?
À MON TOUR...

CROISEMENTS

Qu'est-ce que tu obtiens si tu croises :

1 *Un éléphant et une souris ?*

2 *Un chameau et une rose ?*

3 *Une vache et une pieuvre ?*

4
Un ver de terre et un manteau de fourrure ?

1. Que disent deux porcs-épics qui s'embrassent ?

2. Qu'est-ce qui a deux pattes, un grand bec et qui saute ?

3 *Qu'est-ce qui a des plumes, qui vole et qui peut soulever un éléphant ?*

4 *Qu'est-ce qui est brun et jaune et qui vole sous l'eau ?*

DEVINETTES D'ÉLÉPHANTS

1. *Que fait un éléphant sur la grand-route ?*

2. *Qu'est-ce qui est tout bleu et qui pèse quatre tonnes ?*

3. *À quoi voit-on qu'un éléphant a fouillé dans un réfrigérateur ?*

RÉPONSES

Pages 4-5

1. *Un oiseau sur un arbre*
2. *Un peigne*
3. *Un robinet*

Pages 6-7

1. *Une aiguille*
2. *Un miroir*
3. *La clé*
4. *Un timbre*

Pages 10-11

1. *La pêche*
2. *Une banane déguisée en concombre*
3. *Une tomate dans un ascenseur*
4. *En trouver seulement la moitié*

Pages 14-15

1. *Les deux ont des boutons*
2. *Les deux ont des pages*
3. *Les deux ont des feuilles*

Pages 16-17

1. *L'avion fait* ***monter,*** *le cigare fait* ***des cendres (descendre).***
2. *L'horloge a son* ***tic tac,*** *le général a sa* ***tactique.***
3. *Halifax est un* ***port de mer,*** *la truie est une* ***mère de porc.***
4. *Si tu ne le sais pas, je ne t'enverrai jamais poster une lettre.*

Pages 18-19

1. *Arrêter l'horloge*
2. *Raser les murs*
3. *Se battre contre du ciment armé*

Pages 20-21

1. *Un autobus scolaire fatigué*
2. *Deux canaris*
3. *Un chameau égaré*
4. *Il faut imiter le bruit de la carotte*

Pages 22-23

1. *Il compte sur ses doigts*
2. *Allô ! Allô !*
3. *Le laisser mûrir*

Pages 24-25

1. *Mettre les pieds dans les plats*
2. *Avoir le coeur sur la main*
3. *Prendre ses jambes à son cou*
4. *Mettre tous ses oeufs dans le même panier*
5. *Avoir les mains pleines de pouces*
6. *Des larmes de crocodile*
7. *Marcher sur des oeufs*
8. *Perdre la tête*

Pages 26-27

1. *Étoile (e-toile)*
2. *Minuit (mi-nuit)*
3. *Orage (or-âge)*
4. *Téléphone (thé-laid-faux-ne)*

Pages 28-29

Nid-col-lait-aile-pas-c-Paris-scie
Nicole est-elle passée par ici ?

Page 30

1. *Il est ouvert (tout vert)*
2. *Les lys (l'hélice)*
3. *On lui donne une assiette de lait et il la boit (il aboie)*

CONCORDIA UNIVERSITY LIBRARIES
SIR GEORGE WILLIAMS CAMPUS

RÉPONSES

Page 31
1. *DO-MI-SI-LA-DO-RÉ*
2. *SI-FA-SI-LA-SI-RÉ*
3. *La clé de sol*

Pages 32-33
1. *Un anneau*
2. *Un poisson*
3. *La rivière*

Pages 34-35
1. *Un seul : le zèbre*
2. *Pour tenir son pantalon*
3. *CELA*

Pages 36-37
1. *La lettre n*
2. *Dans le dictionnaire*
3. *La lettre n*
4. *Dessiner la lettre O par terre et s'asseoir dessus*

Pages 38-39
1. *Un rhume*
2. *Parce qu'ils sont plus nombreux*
3. *Aucun. Au coup de fusil, ils se sont tous envolés*

Page 40
1. *L'éclair au chocolat*
2. *La plante des pieds*
3. *La planche*

Page 41
1. *Il s'appelle Denis (deux nids)*
2. *Des souliers (des sous liés)*
3. *Un chameau qui croise un dromadaire derrière un mur.*

Pages 42-43
1. *Un animal qui fait très peur aux chats*
2. *Une fleur qui n'a pas souvent besoin d'eau*
3. *Un animal qui peut se traire lui-même*
4. *Une chenille*

Pages 44-45
1. *Ouche !*
2. *Un pélicangarou*
3. *Une grue*
4. *Une guêpe dans un sous-marin*

Page 46
1. *À peu près 10 km à l'heure*
2. *Un éléphant qui retient sa respiration*
3. *Aux traces dans le beurre*

576 15